J'ai le trac

J'ai le trac

Une histoire écrite par Florence Dutruc-Rosset
illustrée par Marylise Morel
Couleurs de Christine Couturier

BAYARD POCHE

1

Vive les Red Cats !

À peine sortie du cours de danse, je fonce vers ma mère, qui attend devant la grille :

– Maman, c'est trop bien ! Magali nous a donné notre costume pour le spectacle de fin d'année. Tu vas voir, il est méga génialissime ! Il est noir à paillettes dorées et argentées. Et, en plus, c'est Magali qui les a cousus à la main, tu te rends compte ? Je ne sais pas

comment elle a fait. On dirait des justaucorps de vraies danseuses, comme à la télé !

– Je suis ravie, ma Lulu ! Tu me montreras tout ça à la maison. Et toi, Laura, il te plaît, le costume ? demande ma mère.

Laura, c'est une fille de mon cours. Maman la ramène chez elle en voiture tous les samedis. Elle habite pas très loin de chez nous. Ce n'est pas vraiment ma copine en dehors de la danse, mais elle est super sympa. Elle répond :

– Mmoui, il est pas mal ! Évidemment, j'aurais préféré rose. Avec les paillettes dorées, ça aurait été trop beau. Mais il se trouve que Magali n'a pas très bon goût… Il faut faire avec. Tant pis !

Ma mère éclate de rire. Il faut reconnaître qu'on ne s'ennuie pas avec Laura parce qu'elle n'est pas timide du tout. C'est plutôt le contraire : elle ose toujours dire ce qu'elle pense, même aux adultes. Alors, parfois, ça donne des trucs rigolos.

– Heureusement, on s'en sort bien question musique, continue-t-elle. On a évité la cata ! Au début de l'année, elle nous a donné le choix entre une chanson ringarde et une chanson ringarde.

– Ah bon ? Vous dansez sur quoi ? la questionne ma mère.

– Sur les Red Cats, évidemment ! lançons-nous en chœur.

Et nous entamons à tue-tête l'air de notre chanson préférée.

– Ah oui, suis-je bête ! s'exclame ma mère. C'est le CD que j'entends tous les soirs quand je rentre du travail !

– Ouah, t'as le CD ! hurle Laura en me secouant comme une bouteille de jus d'orange.

J'acquiesce.

– Tu me le prêtes ? Allez, je t'en supplie, je t'en supplie, et je t'en resupplie !

– OK, mais seulement si tu me lâches !

– Et si on allait l'écouter chez toi ? Vous voulez bien, madame ? s'écrie Laura. Comme ça, on pourra répéter.

– Je vote pour. Maman, dis oui, s'il te plaît !

Et, un quart d'heure plus tard, nous voilà dans ma chambre, Laura et moi. On va pouvoir s'éclater.

– Où tu as eu ce poster ? demande Laura en voyant ma superbe photo des Red Cats en concert.

– Dans un magazine. Il est chouette, hein ? Regarde la chanteuse ! Elle est trop belle ! Et elle danse divinement. J'aimerais tellement être comme elle !

– Moi aussi ! Elle, elle les réussit super bien, ses chorégraphies. On dirait qu'elle ne fait aucun effort, que c'est naturel. Elle est souple ! C'est dingue !

J'interromps notre discussion :

– Allez, on essaie nos costumes !

Laura farfouille dans son sac de sport et sort son justaucorps :

– Quand même, il serait mieux en rose !

– Moi, je l'aime en noir, dis-je en enfilant le mien. Ça fait moins petite fille !

D'ailleurs, j'espère que c'est ma taille… Impeccable, il me va parfaitement ! Je m'observe devant la glace : pas mal ! Laura me rejoint :

– Mouais, ça le fait ! Vas-y, mets le morceau, je présente le spectacle. Et voici Lulu et Laura, les deux nouvelles danseuses des Red Cats. On les applaudit bien fort !

Clac, clac, clac ! On essaie de faire le plus de bruit possible avec nos quatre mains. Puis la chanson commence.

Je m'apprêtais à exécuter la chorégraphie que Magali nous a apprise, mais, sans elle ni les autres élèves, c'est le trou noir ! Apparemment, c'est pareil pour Laura. On éclate de rire. Qu'à cela ne tienne :

enchaînements libres ! On se met à sauter et à se tortiller dans tous les sens. Soudain, je prends mon élan et, hop ! je fais une roulade avant sur la moquette. Laura m'imite. J'exécute quelques petits pas sautillés autour de la cage de Pistache, mon cochon d'Inde, qui a l'air de me prendre pour une folle, et, hop ! je plonge sur mon lit. Laura me saute dessus en m'écrasant de tout son poids. Aaah ! Je pousse le cri de la mort, pile au moment où la chanteuse des Red Cats pousse le sien dans le refrain final. Du coup, Laura hurle à son tour. Nous sommes toutes les trois en harmonie totale, vibrant au rythme de la musique. Soudain, ma mère ouvre la porte, l'air légèrement agacée :

– On peut savoir à quoi vous vous entraînez ? C'est de la danse ou du karaté ?

2
Et 1, 2, 3, 4... et 5, 6, 7, 8 !

Le samedi suivant, la mère de Laura nous dépose comme d'habitude à la danse. Arrivées dans les vestiaires, on enfile notre costume avec les autres filles. C'est impressionnant de se voir habillées comme pour le spectacle ! Durant l'année, on était en jogging ou en collant de n'importe quelle couleur. Là, on est toutes pareilles.

Bientôt, on entre dans la salle de danse et on se met à notre place habituelle. Magali s'installe face à nous et nous dit :

– La représentation a lieu dans une semaine. Aujourd'hui, c'est notre dernier cours. Nous avons rendez-vous samedi prochain à 15 heures pour la répétition générale avec tous les autres élèves de l'école. Vous devez arriver un quart d'heure avant pour vous préparer. Vos parents viendront vous rechercher à 16 heures 30, puis vous ramèneront à 20 heures 15, dernier délai. Le spectacle débutera à 20 heures 30. À la fin du cours, je vous distribuerai une feuille à donner à vos parents, où tout est expliqué. Vous avez des questions ?

Une fille lève le doigt :

– Où ça va se passer ?

– Au théâtre de la ville. L'adresse exacte figure sur la feuille pour vos parents.

Gros silence. Le discours de Magali a jeté un froid dans la salle. Le jour du spectacle est très proche. Je ne m'en étais pas rendu compte. Je lance un regard anxieux à Laura, qui me répond par un large sourire. Elle s'avance vers moi et me murmure à l'oreille :

– Depuis le temps qu'on le prépare, ce spectacle ! On va enfin montrer ce qu'on sait faire.

Je lui demande :

– Tu savais que c'était dans un théâtre ?

– Non. Mais je te signale que les Rcd Cats ne se produisent jamais dans une salle quelconque !

Magali met un terme à notre discussion :

– Allez, assez papoté ! En place, mesdemoiselles !

Je suis au deuxième rang, entre Violette et Clémentine.

– Les filles, au fond, reculez-vous un peu. Allez, allez, déployez-vous !

Magali se dirige vers la chaîne hi-fi et fait partir notre morceau.

– Tout le monde en position ! Attention…

Mon cœur arrête de battre.

– Et 1, 2, 3, 4… et 5, 6, 7, 8… et tournez !

Ça y est, je me souviens des mouvements. Magali continue de nous diriger :

– Et 1, 2, 3, 4… et 5, 6, 7, 8… et lancez ! Haut, très haut la jambe ! C'est bien… on sourit… Mieux que ça… Et 1, 2, 3, 4… et 5, 6, 7, 8… on enchaîne… et 9, 10, 11, 12, et pas chassé à gauche… 1, 2, 3, 4 et reviens… Et pas chassé à droite… mains le long du corps… 5, 6, 7, 8 et je saute ! Et marche, marche,

marche, marche… Lever genou gauche… trois pas
de côté… reviens… Lever genou droit… trois pas de
côté… C'est bien… enchaînez… et 1, 2, 3, 4… et 5, 6,
7, 8… et groupez tête genoux… Je fais la boule et
1, 2, 3, 4… et je saute. Bien.

Ouf, c'est crevant ! Magali arrête la musique et
me lance :

– Lulu, viens te mettre au premier rang, à côté de
Laura. Les autres, si vous avez un trou de mémoire
pendant le spectacle, vous regarderez Lulu, elle
connaît les mouvements.

On peut dire que je ne suis pas peu fière.
La classe ! Si la chanteuse des Red Cats me voyait !

En plus, je suis super contente de me retrouver près de Laura.

On recommence encore une fois la chorégraphie mais, cette fois, Magali nous prévient :

– Le jour J, je ne serai pas sur scène pour vous guider. Vous devrez vous débrouiller toutes seules. Alors, on essaie sans que j'intervienne. Attention… c'est parti !

Malheureusement, elle a été obligée de nous rappeler quelques pas. Pour la semaine prochaine, ce n'est pas gagné !

À la fin du cours, elle nous donne de nouvelles consignes :

– Attention ! Pour la répétition générale, n'oubliez pas de venir en costume, maquillées et les cheveux tirés en arrière. Dormez suffisamment la veille et nourrissez-vous correctement. Vous devez être en forme. Il faudra faire une grosse impression à vos parents. Ils verront tout le travail que nous avons réalisé cette année. Je compte sur vous !

Clémentine lève le doigt :

– Comment il faut se maquiller ?

– Mettez un peu de crayon noir sous les yeux et du rose aux joues. Et, surtout, je ne veux pas de cheveux détachés. Faites des queues de cheval.

– Magali ! Moi, j'ai les cheveux trop courts ! objecte Romane.

– Eh bien, mets des barrettes. Je ne veux voir aucun cheveu dans les yeux. Débrouille-toi !

À la sortie, on rejoint ma mère devant la grille :

– Alors, les filles, cette chorégraphie en costume ?

– Oh là là, ça ne rigole pas ! s'exclame Laura. J'ai l'impression qu'on a intérêt à réussir notre spectacle, sinon Magali va faire une crise cardiaque ! D'ailleurs, vous aussi, vous avez des instructions à suivre.

– Tiens, voilà la feuille, m'man !

Je ne peux pas m'empêcher d'ajouter :

– Tu sais, elle m'a mise au premier rang, tellement elle me trouve forte !

– Bravo, ma Lulu ! J'ai hâte de vous voir samedi prochain.

3

La pression monte...

Le soir, au dîner, toute la famille est réunie autour
d'un succulent poulet au curry, la grande spécialité
de papa. Seule ombre au tableau : ma grande sœur
Vanessa accapare une fois de plus la conversation.
Elle est persuadée que ses journées sont plus intéres-
santes que les nôtres. « Et le prof de maths a dit ça... »,
« Et vous ne savez pas ce que Mathieu a répondu ? »,

et patati, et patata… Ça n'en finit jamais. Et ce qui me dégoûte le plus, c'est qu'elle arrive parfois à faire rire les parents ! Pourtant, il n'y a vraiment rien de drôle dans tout son baratin !

Soudain, mon père se tourne vers moi et s'écrie :

– Et toi, Lulu, tu es prête pour ta représentation ?

Ah, enfin ! Ils se décident à s'occuper un peu de moi, dans cette famille ! Je réponds :

– Oui, je crois…

– J'ai hâte de voir ma petite danseuse étoile ! ajoute-t-il.

– J'espère que tu ne seras pas trop déçu.

– Pourquoi veux-tu que je le sois ? s'insurge mon père. Je sais bien que tu seras merveilleuse !

– T'as intérêt ! lâche Vanessa. Parce que j'ai invité ma copine Morgane. Je lui ai dit que ce serait sympa, alors je n'ai pas envie de me faire tuer si ton spectacle est lamentable.

Je m'écrie :

– QUOI ? Y aura Morgane ! Mais t'es dingue ! Je ne t'ai jamais demandé de l'inviter.

– Arrêtez de vous disputer, les filles ! intervient ma mère. Et toi, Vanessa, si tu viens voir Lulu avec ta copine, c'est pour l'applaudir, un point c'est tout.

Je ne suis pas très convaincue. Je marmonne :

– Mmouais…

– Ah, au fait ! s'exclame maman. Papy et mamie ont téléphoné. Ils viendront samedi prochain et ils apporteront leur caméscope. C'est super ! On aura un souvenir.

Oh là là ! Il ne manquait plus que ça : papa me prend pour une star, Vanessa veut que j'assure devant sa copine et voilà que mes grands-parents vont me filmer en direct ! Je me demande si j'ai très envie d'y aller, moi…

Le lundi matin, à l'école, je retrouve mes meilleurs amis, Tim et Élodie. Élodie, qui me connaît bien, remarque tout de suite que je ne suis pas dans mon assiette :

– Tu en fais une tête, aujourd'hui ! Qu'est-ce que tu as ? Ça ne va pas ?

– Je commence à avoir la trouille pour mon spectacle de danse.

– C'est quand ?

– Samedi prochain.

– Et, évidemment, tu n'as rien fichu en cours de danse de toute l'année, c'est ça ? me chuchote Élodie.

– Pas du tout. Je connais la chorégraphie par cœur.

– Ben alors ?

– Mais si je suis nulle ? Ce sera la cata parce qu'il y aura toute ma famille. Mes grands-parents veulent me filmer. Vanessa a invité sa meilleure amie, et elles vont se moquer de moi pendant des années si je commets la moindre erreur.

– Un film ? s'écrie Tim. Trop de chance !

– Pff, tu ne comprends rien ! soupire Élodie.

Tim devient tout rouge et se met à débiter à cent à l'heure :

– Tu parles si je ne comprends rien ! Moi aussi, j'ai vécu ça en compète de foot. Je sais ce que c'est, moi, madame. On a fini le match à 1 partout. Du coup, y a eu pénalty. Tous les joueurs avaient marqué : 5 buts pour eux, 4 pour nous. C'était à moi de tirer. Soit j'égalisais, soit on perdait le match. Je dégoulinais de sueur tellement j'avais peur de rater le but. Les copains de mon équipe hurlaient : « Allez, Tim, vas-y ! On compte sur toi ! » Dans les gradins, il y avait mes parents, mes frères, mes grands-parents, la famille entière, quoi ! Tous, ils attendaient que je marque. Tu imagines la pression !

Élodie et moi attendons la suite, suspendues aux lèvres de Tim :

– Et alors ?

– Et alors ? reprend Tim. Je l'ai loupé.

Quelle horreur ! Je m'exclame :

– Ce n'est pas vrai ! Qu'est-ce qui s'est passé après ?

– Eh ben, on a perdu le match !

– Affreux ! lance Élodie. Tu devais sacrément avoir la honte !

– J'te raconte pas ! Je ne savais plus où me mettre. J'avais envie de m'enterrer profond dans la pelouse. Je voulais m'excuser, mais je ne pouvais pas parler. Je me retenais de pleurer, sinon j'aurais eu l'air d'un minable.

– Et les gars de ton équipe, ils ont dit quoi ?

– Il y en a qui m'ont fait la tête et puis il y en a qui sont venus me voir pour me réconforter et me dire que ce n'était pas grave. Les sympas, quoi ! Heureusement, j'en ai dans mon équipe.

– Bon, d'accord ! Je retire ce que je t'ai dit, avoue Élodie. Tu es la personne la mieux placée pour comprendre Lulu, en fait.

L'histoire de Tim ne me rassure pas vraiment, au contraire. Je soupire :

– Eh ben, ça promet pour mon spectacle !

4

La répétition générale

Ça y est, c'est le grand jour !

Ma mère m'accompagne au théâtre pour la répétition générale. J'avoue que je ne fais pas la fière… Je suis même légèrement angoissée. J'ai l'impression d'avoir un ballon de baudruche à la place de la tête. Mes cheveux sont tellement tirés en arrière que ma peau est toute tendue. Avant, j'étais super contente à l'idée d'être maquillée, mais maintenant ça me fait bizarre. Maman n'y est pas allée de main morte : elle m'a mis du noir autour des yeux, de l'orange aux joues et du rose aux lèvres. On dirait une dame ! Et pas très discrète, la dame ! Sans compter que je porte mon costume sur moi, et que j'ai l'air débile dans la rue. Bref, je me sens plutôt mal.

Dans le hall d'entrée, on est accueilli par une personne qui nous informe assez froidement :

– Les danseuses doivent se rendre dans le vestiaire, en bas de l'escalier, à droite. Les billets sont en vente au guichet.

J'ai un coup au cœur. Je questionne ma mère :

– Parce que les gens vont payer leur entrée, comme dans un vrai théâtre ? Oh là là, mais ça ne le vaut pas !

Ma mère éclate de rire et me répond :

– Bien sûr que si, ça le vaut ! Allez, bonne répétition, ma Lulu. À tout à l'heure !

Des dizaines de filles sont déjà entassées dans le vestiaire. J'arrive à peine à entrer. Il y en a de tous les âges, même des toutes petites. Je repère Laura sous un portemanteau. Sauvée ! Je la rejoins au plus vite.

– Tu as vu ? me dit-elle en riant. Ça déménage !

– Tu parles ! Il y a carrément des embouteillages !

À cet instant, Magali apparaît.

– Mon groupe, venez par ici ! crie-t-elle. C'est à nous !

Mon cœur bat à cent à l'heure. Nous la suivons le long d'un couloir, puis nous arrivons sur le côté de la scène, en bas d'un petit escalier. Là, elle nous arrête :

– Alors, montrez-moi à quoi vous ressemblez.

Elle nous scrute chacune à notre tour :

– Violette, il faut que tu enlèves tes boucles

d'oreilles. Toi, Romane, tes cheveux, ça ne va pas du tout. Tu mettras de la laque sur les mèches rebelles. Les autres, c'est bon… Allez, on y va !

Ouf, Magali ne m'a rien dit ! On monte les trois petites marches, direction la scène. Et là, horreur ! Cette scène est immense : en longueur, en largeur, en hauteur. Des spots de lumière sont dirigés sur nous. La salle est gigantesque, avec des centaines de fauteuils pour le public. Et ils sont sur plusieurs niveaux. C'est tout simplement effroyable ! Mon sang se glace. Je reçois comme un coup de poing au milieu du ventre.

Magali nous ordonne :

– Allez, en place, les filles !

C'est la panique ! Je ne me souviens plus où je dois me mettre. Je me dirige à droite, à gauche…

– Lulu, qu'est-ce que tu fais ? Viens vite au premier rang ! s'impatiente Magali.

Je marche comme un automate jusqu'à la prof. Ah, c'est vrai, je suis à côté de Laura ! Elle, en tout cas, elle a l'air d'être à l'aise, souriante et tout. Moi, je ne suis pas vraiment dans mon état normal. Mon ventre ne se calme pas. Mes membres sont en coton, et j'ai du mal à respirer. Soudain, la musique démarre.

Mon Dieu ! Par quoi on commence déjà ? J'ai l'impression que mes jambes bougent toutes seules. Oh là là, je ne me sens pas bien du tout. Et dire que c'est juste la répétition générale, et qu'il n'y a encore personne dans la salle !

À la fin du morceau, Magali nous lance :

– Bon, les filles, ça peut aller. Mais, ce soir, n'oubliez pas de sourire !

Je n'ai qu'une envie : rentrer chez moi et me cacher sous ma couette.

5

Que d'émotions !

De retour à la maison, mon état empire. Je crois même que je vais être malade. J'ai envie de vomir, je n'ai plus aucune force dans les jambes. Je m'allonge sur le canapé. Mes parents viennent me voir :

– Ça ne va pas, ma chérie ? me demande mon père.

– Non. Pas du tout. J'ai mal au ventre et à la tête. Je ne pourrai pas danser ce soir.

– Mais si, ne t'inquiète pas, me dit-il. Tu vas te reposer un peu, et après ça ira mieux.

– Non, par pitié, je ne veux pas y aller !

Ma mère s'assoit à côté de moi, l'air surpris :

– Mais enfin, Lulu ! Que s'est-il passé à la répétition ? On t'a grondée ?

– Mais non, tu ne comprends pas ! C'est trop dur, je n'y arriverai jamais. Il y aura trop de gens. Ils vont tous me regarder. Je vais me tromper, c'est sûr, et on va se moquer de moi. J'aurai la honte internationale, comme Tim, sauf que ce sera devant encore plus de personnes. Je préférerais mourir.

Je ne peux pas retenir mes larmes. Je ne peux presque plus respirer. C'est comme si un rouleau compresseur m'écrasait la poitrine. Je serais prête à tout pour annuler ce spectacle. Mon père soupire :

– Voyons, Lulu, ta prof compte sur toi. Et tu ne peux pas lâcher les autres filles comme ça. Et puis toute la famille se réjouit de te voir danser.

– Justement ! Vous allez forcément être déçus, toi, maman, Vanessa, sa copine, papy, mamie… Vous croyez que je suis bonne en danse, mais c'est faux. Je ne sais pas bien faire les mouvements, et souvent je ne suis même pas dans le bon rythme. Je suis nulle, voilà ! On dirait une asperge toute molle. En plus, si c'est le trou noir et que je ne me souviens plus des pas, je me ferai tuer par Magali, parce qu'elle nous a dit que c'était super important qu'on réussisse la représentation.

Ma mère me sourit en me caressant le front :

– Allons, ma puce, calme-toi. Tu as le trac, c'est tout ! C'est normal. Tout le monde a le trac avant d'affronter un public. C'est très intimidant, d'être regardé

par plein de gens. On a peur de ne pas être à la hauteur, d'être ridicule... Mais j'ai une question à te poser : pourquoi participes-tu à ce spectacle ?

– Snif... Je ne sais pas.

– Parce que tu as suivi des cours de danse toute l'année. Et pourquoi ? Parce que tu adores la danse, et spécialement les chorégraphies sur les Red Cats. Ce n'est pas vrai ?

– Si... snif.

– Alors, c'est à ça qu'il faut penser. Ce soir, tu vas avant tout t'amuser. Et tu verras, on peut vraiment s'amuser quand on est sur une scène, que la musique joue très fort et qu'il y a du public. Quand tu étais petite, tu n'aimais pas que je te regarde quand tu faisais la roue dans le jardin ?

Je fais oui de la tête.

– Eh bien, c'est pareil. Sauf qu'il y aura encore plus de spectateurs et que tu seras encore plus contente, je t'assure !

Je réfléchis. C'est vrai que c'était super quand je montrais à maman ce que je savais faire.

Soudain, Vanessa débarque dans le salon, un magazine à la main. Apparemment, elle écoutait à la porte, comme d'habitude :

– Tu ne devineras jamais... Dans le nouveau *Star à la une*, la chanteuse des Red Cats raconte comment elle se sent avant un concert.

– Vas-y ! Dis !

– Vomissements, tremblements et bégaiements.

– Pas possible ? Elle ?

Je ne sais pas pourquoi, mais je me sens déjà mieux. À ce moment-là, le téléphone sonne :

– Salut, c'est Laura. Excuse-moi, mais je suis un peu malade. Je ne viendrai pas ce soir.

– Quoi ? Toi aussi ?

– Comment ça : moi aussi ?

– Ben oui, et la chanteuse des Red Cats aussi ! Le trac, ça arrive aux meilleurs. Écoute, je te propose un truc : on y va, et on s'éclate. On n'aura qu'à se regarder si on a un trou. Et puis, n'oublie pas que c'est notre chanson ! On n'a pas le droit de rater ça. C'est peut-être le plus grand jour de notre vie.

– OK, répond Laura. Qu'est-ce qu'on ne ferait pas pour les Red Cats !

Je raccroche et je me retourne aussitôt vers mon père, ma mère et Vanessa en m'exclamant :

– Allez, en route ! Le public n'attend pas !

ET TOI,

as-tu déjà eu le trac ?

On a souvent le trac avant de se montrer en public, à l'occasion d'un spectacle ou d'une compétition sportive, par exemple. On l'a parfois aussi à l'école.

On ressent alors une peur qui peut parfois être proche de la panique. Notre corps « s'emballe » sans qu'on puisse se raisonner. Cette sensation désagréable est tout à fait normale. Elle arrive aux enfants comme aux adultes.

C'est très angoissant, de se savoir regardé par tout le monde. On se dit qu'on va être jugé. On a peur de se tromper, d'être ridicule et de décevoir ceux qu'on aime. Bref, on se croit en danger, et notre corps l'exprime très clairement ! Résultat : on aimerait fuir ou se cacher.

Pourquoi imagine-t-on le pire ? Parce qu'on croit qu'on doit exécuter un exploit, qu'aucune erreur n'est permise. **En fait, on a le droit de se tromper.** Les enfants s'imaginent souvent que les adultes veulent qu'ils soient parfaits ; or c'est faux, ils les aiment tels qu'ils sont.

En réalité, on doit simplement montrer ce qu'on sait faire, du mieux qu'on peut. C'est tout ! **Si on comprend bien ce que les gens attendent réellement de nous, la peur diminue, et l'on se sent plus détendu.**

Alors, ne nous arrêtons pas à la peur ! Quand on arrive à la dépasser, on éprouve des sensations merveilleuses. On se sent heureux ; on est fier de soi. À chaque fois qu'on réussit à franchir un obstacle qui nous semblait insurmontable, on grandit et on devient plus fort.

Alors, comment faire pour avoir moins le trac ?

• *Parles-en à tes parents.*

Tu verras qu'ils connaissent les mêmes peurs que toi.
C'est plutôt rassurant !

• *Choisis une activité qui te calme.*

Tu peux prendre un bain, relire ta bande dessinée préférée...

• Appelle un copain ou une copine qui vit la même chose que toi.

À deux, on se serre les coudes !

• Fais des exercices de relaxation.

Inspire profondément en gonflant le ventre, puis expire lentement. Recommence trois fois de suite.

•*Tu peux aussi aller courir le plus vite possible ou taper dans un ballon de toutes tes forces.*
Ça détend !

Et surtout, tu verras, le trac disparaît
dès que le rideau se lève !

Un grand merci à Christine Arbisio, psychanalyste et maître de conférences
en psychologie à l'université Paris XIII, pour sa relecture attentive.

Retrouve Lulu

dans le magazine astrapi

**Astrapi, c'est deux fois par mois,
pour deux fois plus de découvertes**

7-11 ans

➲ **La découverte du monde**
Le fabuleux voyage de Marco Polo,
la planète Mars, les ours,
les coulisses de la publicité...

➲ **La découverte de soi**
Des réponses aux questions que
se posent les 7-11 ans, des conseils
pour leur vie quotidienne. Les
relations entre frères et sœurs,
pourquoi on a peur, choisir
une activité extrascolaire...

➲ **Et aussi**
Des jeux, des BD,
des bricolages...
et beaucoup
d'humour !

astrapi — 2 fois par mois

Marco Polo SON AVENTURE FABULEUSE

UN GRAND JEU
La route des richesses

astrapi — 2 fois par mois — Nouvelle formule

Frères et sœurs

QUELLE AMBIANCE !

Pour en savoir plus,
rendez-vous sur **www.astrapi.com**

Astrapi est en vente tous les 15 jours chez ton marchand de journaux,
par abonnement au 0825 825 830 (0.15€/min) ou sur Internet www.bayardweb.com

ILLUSTRATION-MARYLISE MOREL

CRÉATION-FINGUE.JR IN ZEKOBE

Des romans pour mieux vivre
les petits soucis quotidiens

© Marylise Morel

Chaque histoire est suivie de conseils pratiques et malins
pour les enfants qui se reconnaissent dans les histoires de Lulu.

Lulu est un personnage du magazine

Princesse Zélina Et d'autres collections de livres pour les 7·11 ans

Des romans d'aventures et d'amour

© Philippe Sternis

Des romans pleins de rebondissements
avec l'intrépide princesse pour héroïne.

Un journal intime
à partager avec Zélina.
À lire et à compléter.

Un véritable agenda avec
des informations inédites
sur la princesse, des conseils
pratiques et des autocollants.

Du papier à lettres,
des cartes, des enveloppes,
réunis dans un merveilleux coffret.

Zélina est un personnage du magazine

Autres titres parus :
Ma grande sœur me commande
Je déteste être timide
J'ai peur des mauvaises notes
On se moque de moi !
Je suis amoureuse
Je me dispute avec ma copine
Je ne peux jamais faire ce que je veux !
Je n'ose pas avouer mes bêtises
Je me trouve nulle
Je suis rackettée
On me traite de garçon manqué
Ma mère a trahi mon secret

Achevé d'imprimer en février 2007 par OBERTHUR Graghique
35000 RENNES – N° Impression : 7600
Imprimé en France